AVERTIR LES ENFANTS DU DANGER, C'EST DÉJÀ LES PROTÉGER

Enlèvement

ADAPTATION FRANÇAISE DES TEXTES DE

JOY BERRY

<< Contrairement aux slogans qui nous font oublier l'essentiel, les enfants et les jeunes ne sont ni une << richesse de demain >> ni une << force d'avenir >>. Nos enfants et nos jeunes sont une force du présent. Ils ne vivent pas les plaisirs, les tristesses, les caresses, les abus ou les négligences de demain. Ils vivent leurs réussites et leurs échecs d'aujourd'hui. Ils enrichissent ou appauvrissent notre société maintenant. C'est maintenant qu'l'on doit se montrer << fou >> d'eux... même si cela demande un engagement autrement plus exigeant que l'espoir passif et futile qu'ils s'en sortiront bien un jour, eux aussi.

La promotion du bien-être des enfants et des jeunes, la prévention de leurs problèmes graves, ce n'est pas pour demain. Il faut s'en occuper dès maintenant, et résolument ! >>

Groupe de travail pour les jeunes, présidé par **Monsieur Camil Bouchard** [...]
Psychologue, directeur du laboratoire de recherche en écologie humaine et sociale (LAREHS) Université du Québec à Montréal

Jean-Paul Saint-Michel
Éditeur

Éditeur :
Jean-Paul Saint-Michel

Adaption et version française :
Micheline Émond
Amanda Cough
Hélène Lecompte
Claire Rocher
Thérèse Tétrault
Martin Vachon

Coordination :
Louise Mondoux

Illustration :
Bartholomew

Couverture :
Jean Merrette
François Robert

Infographie :
Graphiques Scafidi inc.

Pelliculage :
CLS Graphiques inc.

Impressions :
Imprimeries Transcontinental inc.

Distribution :
Les éditions Deco.
C.P. 90 Boucherville, Qué.
J4B 5E6

Dépôt légal : Bibliothèque nationale du Québec et Bibliothèque nationale du Canada, 2e trimestre 1996.

Imprimé au Canada

ISBN 0-919039-91-X

Message de l'éditeur

Je veux dédier ce livre à Claudia, ma petite fille. C'est elle qui m'a fait réaliser toute la fragilité des jeunes enfants et la nécessité de les aimer et de les protéger. Puisse ce livre renseigner le plus grand nombre d'enfants des dangers qui les guettent et ainsi leur éviter, autant que possible, de vivre des expériences douloureuses.

Je veux remercier l'auteure, madame Joy Berry, de m'avoir si gentiment autorisé à utiliser ses textes pour en faire une adaptation québécoise. Je veux aussi remercier mesdames Louise Mondoux et Claire Rocher, monsieur Martin Vachon de la Commission des droits de la personne et des droits de la jeunesse pour leur précieuse collaboration. Des remerciements vont aussi à tous ceux et celles qui ont rendu possible l'édition de cette collection.

Jean-Paul Saint-Michel
Éditeur

AVERTIR LES ENFANTS DU DANGER, C'EST DÉJÀ LES PROTÉGER

Autrefois, les gens croyaient que les enfants devaient ignorer certaines choses, pour leur propre bien. Cette croyance ne s'applique plus à un monde en constante évolution. Les enfants doivent en savoir le plus possible sur la vie et ses dangers. Puisqu'ils peuvent imaginer des situations qui dépassent toute réalité, ils ont besoin d'une information réaliste, claire et précise. Plus les enfants sont renseignés, mieux ils peuvent se protéger en cas de danger.

Tout adulte responsable et qui aime les enfants désire leur sécurité. Malheureusement, notre société est de moins en moins sécuritaire. Le nombre d'enfants dont on abuse sexuellement est alarmant. Ce phénomène touche toutes les couches de la société.

D'après les statistiques, la très grande majorité des agresseurs connaissent leur victime. Ainsi, les enfants peuvent être victimes d'abus sexuels à la maison, à l'école, à la garderie, au camp de vacances et dans d'autres lieux que l'on croit «sûrs».

Vous pouvez agir préventivement et éviter que les enfants soient victimes d'abus sexuels en leur donnant toute l'information dont ils ont besoin. Le présent livre fournit des explications simples que les enfants peuvent comprendre. Il énumère des mesures préventives ainsi que des gestes que peuvent poser les enfants en cas d'abus sexuel.

Lisez ce livre avec les enfants et veillez à ce qu'ils le comprennent. Demandez-leur s'ils ont des questions et répondez-y ouvertement et honnêtement. Vous prendrez ainsi une initiative essentielle au bien-être des enfants. La sensibilisation aux problèmes et aux solutions peut être la meilleure protection. À la fin de ce livre, vous trouverez des renseignements destinés aux parents et aux différents intervenants et intervenantes, concernant les droits des enfants et les motifs de signalement.

Ce livre n'a pas pour objet de vous effrayer ou d'effrayer les enfants. Il vise à transformer la peur en une saine prudence et à permettre aux jeunes de demeurer en sécurité, heureux et libres.

La majorité des personnes sur la terre sont bonnes. Elles sont aimables et serviables. C'est pourquoi tu es en sécurité la plupart du temps.

Cependant, certaines personnes ont de sérieux problèmes et peuvent te faire du tort. C'est pourquoi tu n'es pas toujours en sécurité.

L'enlèvement est un exemple de situations dangereuses.
Il est donc important de te protéger contre les personnes qui veulent te faire du tort.

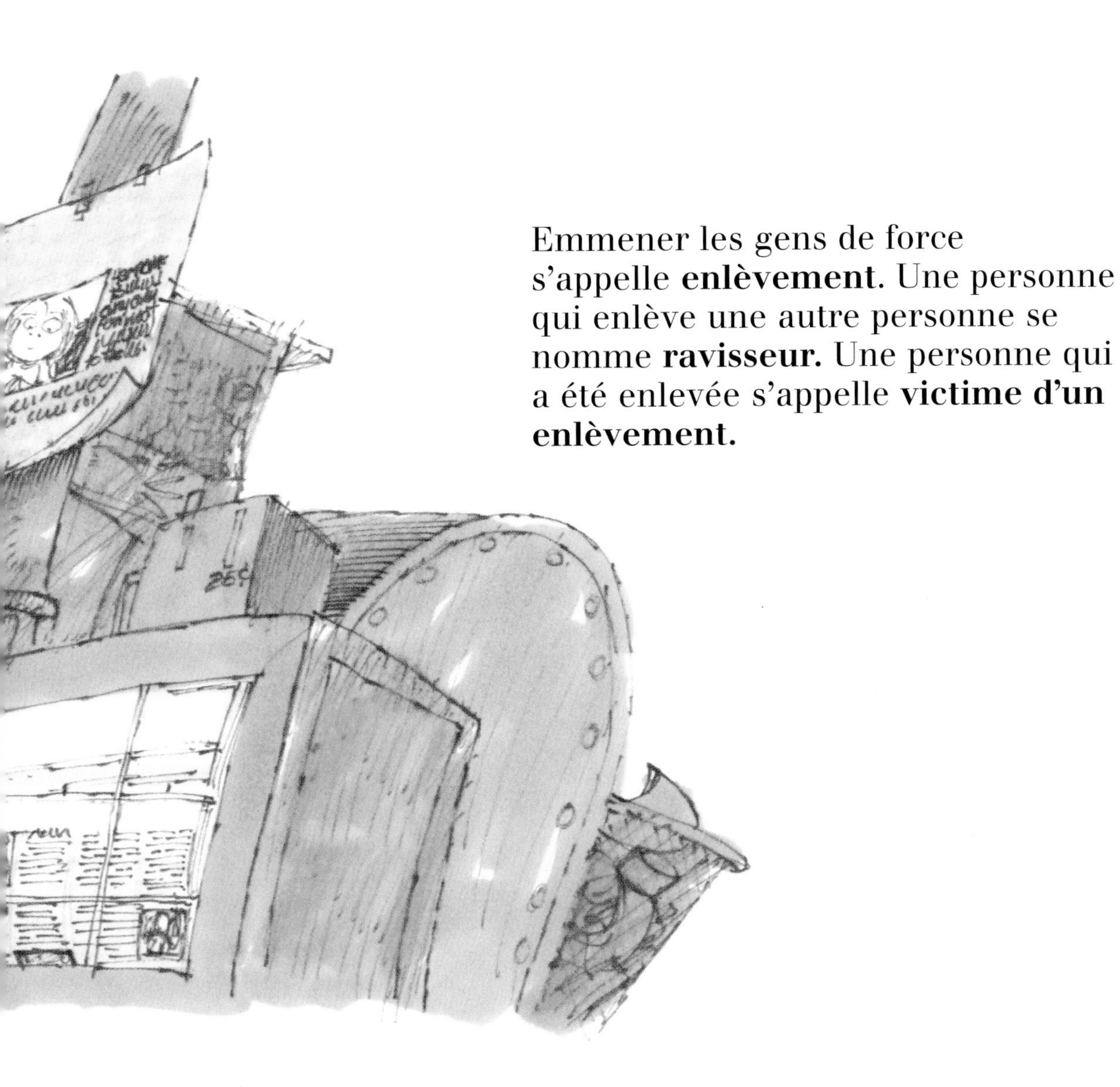

Emmener les gens de force s’appelle **enlèvement**. Une personne qui enlève une autre personne se nomme **ravisseur.** Une personne qui a été enlevée s’appelle **victime d’un enlèvement.**

Il y a plusieurs raisons qui expliquent l'enlèvement.

Certaines personnes veulent des enfants mais ne peuvent pas en avoir. Parmi celles-ci, il y en a qui enlèvent les enfants des autres et qui prétendent qu'ils sont leurs enfants.

Certaines personnes s'ennuient et peuvent enlever quelqu'un d'autre pour avoir de la compagnie.

Certaines personnes ont besoin de faire faire des travaux. Ces personnes peuvent enlever quelqu'un et le forcer à travailler pour elles.

J'ai besoin de quelqu'un pour faire ces tâches.

« Donnez-nous 100 000 $, si vous voulez revoir votre fils.»

Certaines personnes veulent de l'argent. Elles peuvent enlever quelqu'un et dire qu'elles ne rendront la victime qu'en échange d'une somme d'argent. L'argent qu'un ravisseur demande s'appelle **rançon.**

Certaines personnes sont en colère et veulent se venger de ce qui les a contrariées. Elles expriment leur colère en enlevant quelqu'un.

Certaines personnes sont des agresseurs sexuels. Elles enlèvent quelqu'un pour avoir des contacts sexuels avec lui.

Il y a toutes sortes de moyens que les ravisseurs peuvent utiliser pour enlever les enfants.

1. LES RÉCOMPENSES

Certains ravisseurs offrent des récompenses aux enfants. Ils leur donnent des cadeaux ou leur promettent des faveurs pour que les enfants les suivent.

Les bonbons, l'argent et les surprises sont des récompenses souvent utilisées. Un autre moyen pour attirer les enfants est de leur promettre de les amener à un endroit où ils auront beaucoup de plaisir.

Aimerais-tu avoir des bonbons ou préférerais-tu aller au zoo ?
Non merci.

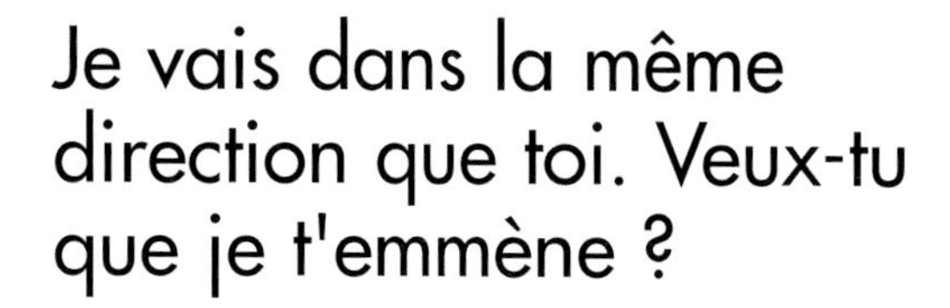

Je vais dans la même direction que toi. Veux-tu que je t'emmène ?

2. LA RUSE
Certains ravisseurs utilisent la ruse et racontent des mensonges pour essayer de convaincre les enfants. Ainsi, les enfants croient qu'il est permis de les suivre. Voici certains mensonges que les ravisseurs utilisent le plus souvent.

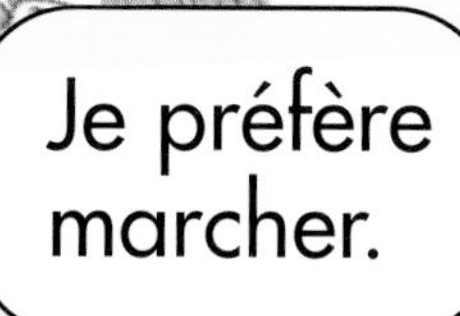

Je suis perdu. Peux-tu m'aider à trouver l'endroit que je cherche ?

Bonjour Katou. Je suis une amie de tes parents. Ils m'ont demandé de te ramener à la maison.

Ta maman et ton papa
ont eu un ennui.
Je t'amène les voir.

3. LES MENACES

Certains ravisseurs menacent les enfants. Ils disent que les enfants doivent faire ce que les adultes désirent. Les ravisseurs disent aussi que les adultes sont plus grands et plus forts que les enfants. Ils disent aussi qu'ils peuvent les forcer à se soumettre, si nécessaire.

4. LA FORCE
Certains ravisseurs obligent les enfants à les suivre par la force physique. Ils emploient la force pour dominer les enfants.

Voici quelques exemples de situations qui rendent l'enlèvement plus facile.

1) L'enlèvement est plus facile quand les **enfants ne sont pas surveillés par les adultes.** Dans ce cas aucun adulte ne peut protéger les enfants et les garder à l'abri des ravisseurs.

Tu veux dire que tu y vas sans un adulte ?
Je n'ai plus besoin d'un adulte pour m'accompagner. Je suis trop vieux pour ça !

2) L'enlèvement devient plus facile quand **personne ne sait où sont les enfants.** Les parents et les amis peuvent croire que tout va bien lorsqu'ils n'ont pas de nouvelle des enfants. Quand ils commencent à se demander où ils sont et à s'inquiéter à leur sujet, il est déjà trop tard pour retrouver les ravisseurs ou les enfants.

Tu devrais au moins dire à un adulte où tu vas...
C'EST STUPIDE ! Ça ne regarde personne, où je suis. D'ailleurs, c'est trop contrariant de toujours dire où on va !

3) L'enlèvement devient plus facile quand les **enfants sont laissés seuls.** S'ils doivent échapper à un ravisseur, il n'y a alors personne pour les aider. Il n'y a personne, non plus, pour signaler l'enlèvement et chercher de l'aide.

4) L’enlèvement devient plus facile quand les **enfants se tiennent dans des endroits isolés.** Il n'y a alors personne pour empêcher les ravisseurs d’enlever les enfants, pour signaler l’incident et obtenir de l’aide.

C’est plutôt tranquille ici.

5) L'enlèvement devient plus facile quand les **enfants sont dans des endroits publics, à la noirceur.** Les ravisseurs peuvent arriver par surprise et enlever les enfants. Il est donc difficile pour les autres personnes de voir et de signaler ce qui est arrivé.

Veux-tu que je te ramène à la maison ?

6) L’enlèvement devient plus facile quand les **enfants ne sont pas informés du danger.** Dans ce cas, les enfants peuvent se soumettre au lieu de résister. Ces enfants peuvent suivre de plein gré les ravisseurs ou leur permettre de faire tout ce qu’ils veulent.

Tu peux être plus en sécurité en faisant les six choses suivantes :

1) Peu importe où tu es, **assure-toi d'être près d'un adulte** qui pourra venir à ton secours aussitôt. Si jamais tu es seul à la maison, assure-toi de savoir quel adulte tu peux appeler en cas d'urgence.

Je ne serai partie qu'une minute. Si tu as besoin d'aide, téléphone à la voisine.
Salut !

Si jamais tu te perds, trouve un adulte en qui tu peux avoir confiance, comme un policier, un garde de sécurité, un vendeur, et demande-lui de t'aider.

Nous sommes perdus !
Voulez-vous m'aider à retrouver ma mère ?

Tu dois pouvoir fournir les renseignements suivants à la personne qui t'aide à retrouver tes parents ou la personne qui s'occupe de toi :

- ton nom et ton prénom
- ton adresse
- ton numéro de téléphone et ton code régional
- le nom et le prénom de tes parents ou de la personne qui s'occupe de toi
- le nom et l'adresse de leur lieu de travail
- leurs numéros de téléphone.

Il se peut que tu ne trouves personne qui puisse t'aider. Dans ce cas, tu dois savoir comment faire un appel à frais virés, d'un téléphone public. Composes «0» pour joindre le ou la téléphoniste et donne-lui le numéro de téléphone de tes parents ou de la personne qui s'occupe de toi.

Téléphoniste, je voudrais faire un appel à frais virés.
N'oublie pas de reprendre ta monnaie.

2) Assure-toi que tes parents, les personnes qui s'occupent de toi ou qui te gardent savent exactement où tu es et ce que tu fais en tout temps. Avant de quitter la maison, dis-leur :

- où tu seras, le nom, adresse et numéro de téléphone de la personne chez qui tu vas
- ce que tu feras
- comment tu iras là, qui t'amènera, et si tu iras à pied ou à bicyclette
- l'heure à laquelle tu prévois revenir, qui te ramènera à la maison.

Est-ce que je peux aller chez Suzanne, à bicyclette ? On va faire nos devoirs ensemble. Je serai de retour à 16 h 30.
D'accord.
D'accord.
Moi aussi.

Quand tu quittes la maison, rends-toi directement à l'endroit prévu et reste là.

- Si tu décides d'aller ailleurs, en chemin, téléphone à tes parents ou à la personne qui s'occupe de toi et dis-leur où tu es.
- Si tu décides d'aller ailleurs une fois rendu à l'endroit prévu, téléphone à tes parents ou à la personne qui s'occupe de toi et dis-leur où tu seras.

Papa, Suzanne et moi allons chez Marie.
Dommage ! J'aime aller chez Suzanne. Elle a des chats.

- Si tu dois changer le moindrement de direction, avertis tes parents ou la personne qui s'occupe de toi.
- Rentre à la maison à l'heure prévue.
- Si tu prévois être en retard, téléphone à tes parents ou la personne qui s'occupe de toi; explique-leur pourquoi et précise l'heure de ton retour.

Je dois partir. J'ai dit que je serais à la maison à 16 h 30.
Au revoir !

3) Évite de sortir seul. Assure-toi d'être accompagné d'au moins une autre personne, où que tu ailles.

Je dois aller à la bibliothèque aujourd'hui.
Moi aussi. Allons-y ensemble.
Parfait ! Je pourrai emprunter le livre *Les gentils chiens.*

4) Évite les endroits isolés. Si tu dois passer par un de ces endroits, assure-toi d'être accompagné d'un adulte ou d'une autre personne. Sinon, marche rapidement et fais attention.

5) Évite les endroits obscurs, tels que les tunnels, les ruelles ou les passages piétonniers couverts.

Je ne pense pas que ce raccourci soit une bonne idée. Faisons demi-tour.
Bonne idée.

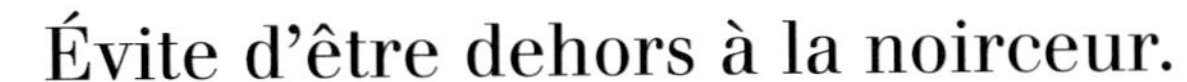

Évite d'être dehors à la noirceur.

Dépêchons-nous, si nous voulons être à la maison avant qu'il fasse noir.

6) Sois extrêmement prudent avec les inconnus (les personnes que tu ne connais pas). Si tu n'es pas accompagné d'un adulte :

- ne parle pas aux inconnus
- n'accepte rien des inconnus
- ne laisse pas les inconnus te toucher.

Si tu es seul à la maison :
- n'ouvre pas la porte aux inconnus
- ne dis à personne au téléphone que tu es seul à la maison.

Ma mère ne peut pas prendre l'appel maintenant. Est-ce qu'il y a un message ?
Veulent-ils me parler ?

Il y a plusieurs choses que tu peux faire,
si un inconnu t'aborde.

1. Dis «Non !» à tout ce qu'un inconnu te demande de faire.

2. Enfuis-toi, si un inconnu essaie de te toucher.

3. Crie : «Au secours !» si un inconnu essaie de t'attraper. Crie : «au secours, on m'enlève !» Dis ces choses pour que les gens comprennent bien ce qui se passe.

Au secours !
Au secours !
On m'enlève !
Woof !

Ma fille a été abordée par un inconnu au retour de l'école...
...et alors il a essayé de me toucher...

4. Si un inconnu t'aborde, dis-le à tes parents ou à la personne qui s'occupe de toi. S'ils le jugent nécessaire, ces derniers signaleront la situation à la police. Les policiers peuvent te demander de décrire la personne qui t'a abordé. Tu devras décrire, par exemple, les traits de son visage, sa taille, la couleur de ses cheveux, ses vêtements et le genre de voiture qu'elle conduisait.

Rappelle-toi que c'est une bonne idée d'en parler à tes parents ou à la personne qui s'occupe de toi, si tu veux savoir comment te protéger de l'enlèvement.

Qu'est-ce que je fais, si une personne me dit que vous lui avez demandé de me ramener à la maison ?
Nous allons te le dire avant ou nous allons aviser l'école.
Alors, vérifie au secrétariat avant de partir avec quelqu'un.

S’il t’arrivait d’être enlevé, essaie de trouver un adulte en qui tu peux avoir confiance. Demande-lui de t’aider à te rendre au poste de police le plus proche.

Si tu ne peux pas aller à un poste de police, essaie de trouver un téléphone. Compose «0» pour obtenir le ou la téléphoniste. Demande-lui de te mettre en communication avec le service de police. Tu devras dire au policier ton nom et l’endroit où tu te trouves. Si tu ne sais pas où tu es, donne-lui le numéro de téléphone d'où tu appelles. Si tu ne connais pas le numéro, reste en ligne assez longtemps pour permettre aux policiers de te localiser. Essaie de demeurer à cet endroit jusqu’à ce que les policiers viennent te chercher et te ramènent à la maison.

Il y a des millions d'enfants sur la terre. Heureusement, il y en a très peu qui sont victimes d’un enlèvement.

Renseignements destinés aux parents et aux intervenantes et intervenants

Une loi fondamentale

La Charte des droits et libertés de la personne

Au Québec, la Charte confère à toute personne, **petite ou grande**, des libertés et droits fondamentaux nécessaires, notamment, à la protection et à l'épanouissement de la personnalité de chaque être humain et à la responsabilisation de chacun à l'égard des autres et du bien-être général.

La Charte québécoise énonce clairement que **tout être humain a droit à la vie, ainsi qu'à la sûreté, à l'intégrité et à la liberté de sa personne** et qu'il possède une personnalité juridique. Elle affirme aussi que tout être humain dont la vie est en péril a droit au secours et que toute personne doit porter secours à celui dont la vie est en péril, personnellement ou en obtenant du secours, en lui apportant l'aide physique nécessaire et immédiate, à moins d'un risque pour elle ou pour les tiers ou d'un autre motif raisonnable.

De plus, elle reconnaît spécifiquement que **tout enfant a droit à la protection, à la sécurité et à l'attention** que ses parents ou les personnes qui en tiennent lieu peuvent lui donner.

Une loi pénale

Le Code criminel

Le Code criminel en vigueur au Québec prévoit les circonstances dans lesquelles un adulte commet une infraction à l'égard d'un enfant. Notamment, une personne qui, à des fins d'ordre sexuel, touche avec une partie de son corps ou avec un objet, à une partie du corps d'un enfant ou qui l'incite à le toucher, à se toucher ou à toucher à une tierce personne avec une partie du corps ou avec un objet, est coupable d'un acte criminel.

De même, toute personne qui enlève, entraîne, retient, cache ou héberge un enfant avec l'intention de priver de la possession de ce dernier le père, la mère, le tuteur ou la personne qui en a la charge ou la garde légale, est coupable d'un acte criminel.

Le Code criminel interdit aussi l'usage d'une force déraisonnable de la part des instituteurs, des parents, ou de la personne qui remplace ces derniers, quand ils ont recours à la discipline pour un enfant.

Une loi particulière

La Loi sur la protection de la jeunesse

Une loi particulière existe pour venir en aide aux enfants, lorsqu'ils sont en difficulté. Il s'agit de la *Loi sur la protection de la jeunesse.*

Cette loi concerne uniquement les enfants âgés de moins de 18 ans qui vivent des situations qui compromettent ou peuvent compromettre leur sécurité ou leur développement. Il s'agit d'enfants que l'on considère en difficulté, soit les enfants abandonnés, maltraités, exploités, victimes d'abus physiques ou sexuels ou qui présentent des troubles de comportement sérieux.

Un personnage social chargé de protéger les enfants en difficulté

Le directeur de la protection de la jeunesse

Nos traditions et nos lois reposent sur la reconnaissance du principe selon lequel les parents sont les premiers responsables de leurs enfants. La *Loi sur la protection de la jeunesse* reconnaît d'emblée cette responsabilité. Cependant, lorsque les parents ne sont plus en mesure de s'acquitter de leurs responsabilités, elle indique que le **directeur de la protection de la jeunesse** (DPJ) doit intervenir pour faire cesser la situation qui compromet la sécurité ou le développement de l'enfant. Le directeur peut également référer la situation de l'enfant à la Chambre de la jeunesse de la Cour du Québec, pour protéger l'enfant.

Un organisme voué au respect des droits de l'enfant

La Commission des droits de la personne et des droits de la jeunesse

La Commission des droits de la personne et des droits de la jeunesse a pour mission de veiller au respect des principes énoncés dans la *Charte des droits et libertés de la personne* ainsi qu'à la protection de l'intérêt de l'enfant et aux droits qui lui sont reconnus par la *Loi sur la protection de la jeunesse*. Elle assume cette responsabilité par diverses activités de promotion et de surveillance.

L'obligation de signaler et la confidentialité

Un enfant en difficulté est souvent un enfant seul, démuni et qui ne peut compter pleinement sur son milieu familial pour assurer son développement harmonieux. Cet enfant porte en lui une lourde vérité, une douleur qui s'amplifie, un mal qui l'emprisonne souvent dans le silence et le secret. Pour avoir accès à cette aide, l'enfant doit pouvoir compter sur la participation de la communauté.

La *Loi sur la protection de la jeunesse* confirme que la protection de l'enfant est une responsabilité collective. Selon l'article 39, **toute personne** prodiguant des soins ou dispensant des services à des enfants ou des adolescents, même si elle est liée par le secret professionnel, a l'obligation de faire un signalement au directeur de la protection de la jeunesse, lorsqu'elle a **un motif raisonnable** de croire que la sécurité ou le développement d'un enfant sont compromis au sens de la loi.

L'article 44 de la *Loi sur la protection de la jeunesse* protège l'action de signaler. En effet, il établit clairement que nul ne peut dévoiler ou être contraint de dévoiler l'identité de la personne signalante sans son consentement.

Le texte suivant présente les situations de compromission concernant la sécurité et le développement de l'enfant, prévues à l'article 38 de la *Loi sur la protection de la jeunesse.* Pour chacune de ces situations, suit une liste d'indices et de significations diverses, auxquels on peut référer pour évaluer la situation d'un enfant. Il est important de souligner que la présence d'un seul indice suffira à justifier un signalement. Toutefois, dans la plupart des situations, c'est un **ensemble d'indices** qui permettront de croire que la sécurité ou le développement d'un enfant est compromis.

Article 38

«...la sécurité ou le développement de l'enfant est considéré comme compromis :

a) si ses parents ne vivent plus ou n'assument pas de fait le soin, l'entretien ou l'éducation;»

Quelques indices...

- Manifestations continues d'indifférence de la part des parents aux nombreuses demandes de l'école touchant les soins et l'entretien de l'enfant;
- l'enfant dit se faire souvent mettre à la porte lors de crises familiales;
- l'enfant ne vit plus avec ses parents et il est balloté d'un endroit à l'autre;
- départs fréquents de l'école avec d'autres enfants, allant tantôt chez l'un tantôt chez l'autre, sans que ses parents ne semblent intéressés de savoir où il va et avec qui.

...et ce qu'ils peuvent signifier

- Les parents se désintéressent de l'enfant à tout point de vue;
- l'enfant pourrait se trouver en situation d'abandon.

b)«si son développement mental ou affectif est menacé par l'absence de soins appropriés ou par l'isolement dans lequel il est maintenu ou par un rejet affectif grave et continu de la part de ses parents;»

Quelques indices...

- Manifestations de dépréciation ou d'agressivité continues de la part de ses parents;
- renforcement négatif des parents à l'égard de l'enfant :
  - comparaisons dévalorisantes avec des adultes ayant une image négative;
  - surnoms peu flatteurs;
- propos de l'enfant :
  - il se dévalorise et se trouve «bon à rien» en tout;
  - ses parents lui interdisent d'avoir des camarades de son âge;
  - ses parents nuisent à la fréquentation scolaire régulière;
  - l'enfant apparaît peu stimulé en regard de son groupe d'âge;
- expression de sentiments de rejet et d'abandon chez l'enfant;
- idée de mort souvent présente chez l'enfant (en paroles ou en dessins);
- refus ou négligence des parents de consulter un professionnel de la santé mentale, à la demande de l'école.

...et ce qu'ils peuvent signifier

- Les parents se coupent de toute communication avec l'extérieur, ils font le vide autour d'eux;
- les parents cherchent, en utilisant toutes sortes de prétextes, à maintenir l'enfant en situation d'isolement;
- l'enfant est étiqueté négativement par ses parents et par lui-même;
- l'image que l'enfant a de lui-même l'empêche d'établir des liens harmonieux avec son entourage.

c) «si sa santé physique est menacée par l'absence de soins appropriés;»

Quelques indices...

- Maladies non soignées, blessures non désinfectées;
- refus ou négligence des parents de consulter un professionnel de la santé pour des besoins cernés par l'école (caries dentaires et déficiences visuelles, auditives, motrices ou autres);
- malnutrition;
- justifications répétées des parents de ne pas consulter ou de ne pas poursuivre un traitement.

...et ce qu'ils peuvent signifier

- Les parents n'attachent pas ou attachent peu d'importance à la santé, au bien-être et à la l'état physique de leurs enfants;
- les parents ne reconnaissent pas les besoins spécifiques de l'enfant en fonction de sa croissance physique et de sa vulnérabilité;
- la méfiance des parents envers les professionnels de la santé prive l'enfant de soins médicaux auxquels il devrait normalement avoir accès.

d) «s'il est privé de conditions matérielles d'existence appropriées à ses besoins et aux ressources de ses parents ou de ceux qui en ont la garde;»

Quelques indices...

- Espace de vie et conditions matérielles, à la maison, qui nuisent sérieusement à l'enfant ou empêchent la satisfaction de ses besoins essentiels (repos, concentration);
- lunchs inexistants, insuffisants ou inadéquats;
- vol ou quête de nourriture de la part de l'enfant;
- maladies à répétition (rhume ou pneumonie);
- manque constant d'hygiène;
- vêtements toujours sales ou troués;
- fréquence de poux;
- apparence physique de l'enfant dénotant l'insuffisance de nourriture, de sommeil, de grand air, de loisirs appropriés à son âge, de vêtements adéquats pour la saison;
- petits vols d'objets usuels.

...et ce qu'ils peuvent signifier

- L'enfant souffre de privations répétées;
- les parents minimisent les effets des maladies liées à un environnement inapproprié (chauffage inadéquat, installations sanitaires insuffisantes, mauvaise hygiène des lieux);
- les parents remettent à l'enfant toute la responsabilité de subvenir à ses besoins matériels;
- les parents n'ont pas les moyens ou négligent de répondre aux besoins élémentaires de l'enfant.

e) «s'il est gardé par une personne dont le comportement ou le mode de vie risque de créer pour lui un danger moral ou physique;»

Quelques indices propres à l'enfant...

- Manque de sommeil;
- sous-stimulation;
- Hyperresponsabilisation ou pseudo-maturité;
- symptômes de dépression (tristesse, mutisme, renfermement, etc.);
- blessures physiques à répétition;
- menaces ou tentatives de suicide;
- propos de l'enfant :
  - il est témoin ou victime de violence verbale ou physique à la maison;
  - il n'est soumis à aucune règle quant à ses déplacements et ses heures de rentrée;
  - il est souvent laissé seul ou confié à un enfant trop jeune.

quelques indices propres aux parents...

- Abus de drogue ou d'alcool;
- problèmes d'ordre psychiatrique;
- déficience mentale;
- épisodes dépressifs graves;
- instabilité, impulsivité, irresponsabilité ou confusion;

- incapacité d'assumer une autorité suffisante;
- violence familiale;
- banalisation systématique d'actes criminels.

...et ce qu'ils peuvent signifier

- Les parents sont tellement centrés sur leurs préoccupations et leurs problèmes qu'ils sont incapables de percevoir ceux de leurs enfants;
- les parents sont incapables d'assurer une surveillance adéquate de l'enfant;
- la situation familiale de l'enfant est extrêmement précaire et risque d'éclater à tout moment;
- les rôles du parent et de l'enfant sont inversés (maternage du parent par l'enfant).

f) «s'il est forcé ou incité à mendier, à faire un travail disproportionné à ses capacités ou à se produire en spectacle de façon inacceptable eu égard à son âge;»

Quelques indices...

- Travaux scolaires omis de façon constante;
- absentéisme scolaire fréquent;
- épuisement physique;
- propos de l'enfant
  - il est débordé de travail à la maison ou à l'entreprise familiale;
  - il doit lui-même subvenir à ses besoins (effets scolaires, vêtements, repas, articles de sport, etc.);
  - il se produit en spectacle ou participe à la production de vidéos pornographiques;

...et ce qu'ils peuvent signifier

- L'apprentissage «de la vie» est démesurément privilégié au détriment de l'apprentissage scolaire.

g) «s'il est victime d'abus sexuels ou est soumis à des mauvais traitements physiques par suite d'excès ou de négligence;»

Quelques indices...

- Traces de coups ou lésions corporelles;
- refus de l'enfant de se faire examiner;
- crainte des adultes ou du sexe opposé;
- incontinence urinaire ou fécale;
- régressions dans le développement;
- vomissements fréquents, cauchemars, insomnie, etc.;
- peur de retourner à la maison, fugues;
- changement brusque dans les comportements et le rendement scolaire;
- problèmes d'attention et de concentration;
- confidences de l'enfant;
- M.T.S. à un très jeune âge;
- comportement sexuel précoce;
- prostitution;
- enrichissement soudain de l'enfant qui donne argent et cadeaux aux autres;
- allusion à des expériences de pornographie.

quelques indices caractéristiques des attitudes des adultes...

- Intérêt inhabituel à l'endroit d'un enfant;
- octroi de privilèges à l'enfant par rapport à la fratrie;
- propos contradictoires sur la cause des blessures et lésions ou réponses évasives.

...et ce qu'ils peuvent signifier

- L'enfant est atteint et profondément affecté dans son intégrité et son identité corporelle;
- l'enfant tente de sauvegarder l'équilibre familial par son silence et ses justifications;
- la famille constitue un système rigide, fermé et replié sur lui-même;
- les rôles parentaux sont inversés; il y a confusion des rôles selon les générations;
- l'enfant multiplie les messages à son entourage, pour que quelqu'un entende son appel à l'aide;
- l'enfant est exposé à des événements ou à des expériences, notamment sexuelles, inappropriées à son étape de développement.

h) «s'il manifeste des troubles de comportement sérieux et que ses parents ne prennent pas les moyens nécessaires pour mettre fin à la situation qui compromet la sécurité ou le développement de leur enfant ou n'y parviennent pas.»

Quelques indices...

- Isolement (passivité, absence d'amis, fermeture sur soi);
- vols à la maison, à l'école, méfaits ou vandalisme;
- refus et défi de l'autorité, impolitesse, carapace de dur;
- comportements inacceptables ou crises qui désorganisent la classe;
- manifestations fréquentes et incontrôlables d'agressivité;
- consommation ou vente de drogue ou d'alcool;
- automutilation, tendances suicidaires;
- absence apparente de culpabilité et de jugement moral;
- identification à des groupes marginaux.

...et ce qu'ils peuvent signifier

- L'enfant vit des problèmes affectifs graves ou des situations d'abus;
- l'enfant vit dans une famille à problèmes multiples;
- les parents sont impuissants à contrôler l'enfant ou ont démissionné;
- l'enfant recherche de l'attention ou demande de l'aide par des comportements négatifs;
- l'enfant tend vers des attitudes délinquantes.

Article 38.1

«La sécurité ou le développement d'un enfant peut être considéré comme compromis :

a) s'il quitte sans autorisation son propre foyer, une famille d'accueil ou une installation maintenue par un établissement qui exploite un centre de réadaptation ou un centre hospitalier alors que sa situation n'est pas prise en charge par le directeur de la protection de la jeunesse;

b) s'il est d'âge scolaire et ne fréquente pas l'école ou s'en absente fréquemment sans raison;

c) si ses parents ne s'acquittent pas des obligations de soin, d'entretien et d'éducation qu'ils ont à l'égard de leur enfant ou ne s'en occupent pas d'une façon stable, alors qu'il est confié à un établissement ou à une famille d'accueil depuis un an.»

Chaque paragraphe de l'article 38.1 constitue un indice particulier auquel la loi impose d'être attentif sans, pour autant, en faire un motif de signalement. D'autres indices s'ajoutant, on aura un motif raisonnable de croire que la sécurité ou le développement de l'enfant sont compromis, et un signalement au directeur de la protection de la jeunesse (DPJ) s'imposera.

Appel d'urgence, signalement ou demande de renseignements

Le Service de police

En cas d'urgence, on peut communiquer en tout temps avec le Service de police de sa municipalité en composant **911**, là où ce service est disponible. Il y a un numéro de téléphone pour **les appels d'urgence** que l'on trouve à **la page 1 de tous les annuaires téléphoniques du Québec**, y compris celui de la **Sûreté du Québec.**

Le directeur de la protection de la jeunesse

Pour faire un signalement, on peut joindre **en tout temps** le directeur de la protection de la jeunesse, en consultant la page 2 de l'annuaire téléphonique, à la rubrique **Urgence sociale**, ou les pages blanches, à **Centre de protection de l'enfance et de la jeunesse**.

La Commission des droits de la personne et des droits de la jeunesse

Pour en savoir davantage sur les principes énoncés dans la *Charte des droits et libertés de la personne* et les droits des enfants reconnus par la *Loi sur la protection de la jeunesse* et la *Loi sur les jeunes contrevenants*, on peut s'adresser à la **Commission des droits de la personne et des droits de la jeunesse**. On peut joindre un représentant ou une représentante de la Commission, en consultant les pages bleues consacrées au gouvernement du Québec de l'annuaire téléphonique de sa région. La Commission accepte les frais d'appel.

Qu'est-ce que ESPACE ?

Le Regroupement des équipes régionales Espace comprend des organismes communautaires autonomes qui travaillent depuis plus de 10 ans à la prévention de toutes les formes d'abus, dont peuvent être victimes les enfants du Québec. Elles offrent aux jeunes de deux à douze ans et aux adultes de leur communauté, des ateliers visant à fournir des moyens de prévenir ces abus et d'y faire face.

Responsable de l'implantation et du développement du programme Espace au Québec, le Regroupement des équipes régionales Espace (R.E.R.E.) croit que la prévention se vit d'abord au quotidien, au fil des relations basées sur le respect mutuel et sur la communication ouverte. Être à l'écoute des enfants, les appuyer dans leur recherche d'autonomie importent tout autant que leur transmettre des connaissances au sujet des divers abus dont ils peuvent être victimes.

La série ***Avertir les enfants du danger, c'est déjà les protéger*** peut vous aider à mieux renseigner les enfants. À vous d'adapter son contenu à vos valeurs ainsi qu'aux besoins et aux expériences vécues par vos enfants.

REMERCIEMENTS aux entreprises suivantes pour leur précieuse collaboration :

Graphiques Scafidi inc.	M. Andrea Scafidi, président
Imprimeries Transcontinental inc.	Mme Danica Zuppan, superviseur
Le Groupe Jean Coutu (PJC)	M. Alain Lafortune, vice-président
Promag inc.	M. Ralph Pagnotta, président